신기한 스쿨 버스 ® ™

베이비 Liz

❶ 리즈의 집 찾기

조애너 콜 글·브루스 디건 그림/ 노은정 옮김

비룡소

❶ 리즈의 집 찾기

조애너 콜 글 · 브루스 디건 그림/ 노은정 옮김

1판 1쇄 펴냄―2003년 1월 24일, 1판 8쇄 펴냄―2013년 11월 8일
펴낸이 박상희 펴낸곳 (주)비룡소 출판등록 1994. 3. 17. (제16-849호)
주소 135-887 서울시 강남구 신사동 506 강남출판문화센터 4층
전화 영업(통신판매) 02)515-2000(내선 1) 팩스 02)515-2007 편집 02)3443-4318,9 홈페이지 www.bir.co.kr

ISBN 978-89-491-5081-9 74400 / ISBN 978-89-491-5080-2(세트)

이번 토요일에는 랠프가 리즈를 돌볼 차례예요.
리즈는 우리 반에서 기르는 도마뱀이죠.
    랠프가 말했어요. "걱정하지 마, 리즈. 금방 우리
집에 도착할 거야!"

그런데 랠프는 집에 다 와서야
아주 중요한 걸 잊어버렸다는 게
생각났어요.

4

랠프가 소리쳤어요. "앗! 리즈, 네 집을 학교에
두고 왔어! 동물들한테는 집이 필요한데…….
네가 있을 곳이 없는데 어떡하지?"
랠프는 잠시 생각하더니 다시
말했어요. "그래, 내 방을 함께
쓰면 되겠다!"

5

하지만 리즈는 랠프의 방이 마음에 들지 않았어요.
랠프는 좀 더 곰곰이 생각하더니 말했어요. "그럼, 다른
집을 만들어 줄게." 그러고는 창밖을 내다보았어요.
"저걸 봐. 아기 새들은 둥지에서 살아. 리즈, 너한테도
둥지를 만들어 줄게!"

6

둥지가 리즈에게 알맞은 집일까요?

7

하지만 리즈는 둥지가 마음에 들지 않았어요.

랩프가 말했어요 "도마뱀한테는 둥지가 맞지
않나 봐. 하지만 리즈, 걱정 마. 네 집을 꼭
만들어 줄게."

랠프는 뜰에서 도로시 앤을 만났어요. 도로시 앤이
물었어요. "리즈는 잘 있어?" 랠프가 말했어요.
"아니, 리즈의 집을 학교에 두고 왔지 뭐야.
리즈가 토끼집을 좋아할까?"

도로시 앤이 책을 뒤적거리더니 말했어요.
"토끼는 땅속에 굴을 파서 그 속에 산대."

토끼 굴이 리즈에게 알맞은 집일까요?

리즈는 토끼 굴도 마음에 들지 않았어요.

랠프가 말했어요. "토끼 굴은 도마뱀한테 맞지
않나 봐. 하지만 걱정 마, 리즈. 내가 꼭 네 집을
만들어 줄게!"

랠프와 도로시 앤은 나무 위를 쳐다보았어요. 도로시 앤이 말했어요.
"다람쥐들이 나무 구멍 속에 살아." 그때 랠프가 소리쳤어요. "바로 이거야!"

나무 구멍이 리즈에게 알맞은 집일까요?

하지만 리즈는 나무 구멍 속도 마음에 들지 않았어요.

랠프가 말했어요. "나무 구멍도 아닌가 봐.
그래도 걱정 마, 리즈. 계속 찾아볼게."

랠프는 잠시 쉬면서 도로시 앤과 간식을 나눠 먹었어요.
랠프가 말했어요. "이러다가는 리즈의 집을 영영 못 만들겠다."
도로시 앤이 말했어요. "저것 봐. 개미들이 네 샌드위치를
개미집으로 가져가고 있어." 그러자 랠프가 소리쳤어요.
"그거야! 리즈한테 개미집을 만들어 주자!"

개미집이 정말로 리즈에게
알맞은 집일까요?

하지만 리즈는 개미집도 마음에 들지 않았어요.

도로시 앤이 말했어요. "개미집도 리즈한테는 맞지 않나 봐."

랠프가 한숨을 푹 쉬며 말했어요. "후유, 아기 새는 둥지에 살아. 토끼는 땅속에 있는 굴에 살고, 다람쥐는 나무 구멍 속에 살지. 그리고 개미들은 개미집에 살아. 동물들한테는 각각 알맞은 집이 필요하다는 건 알겠어. 하지만 리즈한테는 어떤 집이 필요한 걸까?"

랠프가 물었어요. "도로시 앤, 네 책에 도마뱀에 대해서
나와 있니?" 도로시 앤은 책을 뒤적거리더니 읽기 시작했어요.
"도마뱀은 세계 여러 곳에서 산다. 도마뱀은 맛있는 벌레들을
잡아먹기 위해 나무 위에 사는 것을 좋아한다. 또 도마뱀은
바위 근처에 사는 것도 좋아한다. 바위 위에서 햇볕을 쬐며
몸을 따뜻하게 할 수 있기 때문이다."

랠프가 소리쳤어요. "바위? 바위라고 했니? 리즈 좀 봐!
바위가 진짜 마음에 드나 봐!"

도로시 앤이 말했어요. "정말! 리즈도 다른 도마뱀들하고
좋아하는 게 똑같구나. 하지만 리즈는 보통 도마뱀이
아니잖아. 리즈한테는 우리가 전에 만들어
준 것 같은 집이 필요해."

랠프가 말했어요. "알아. 하지만 리즈의 집을
가져오는 걸 깜빡했단 말이야."
도로시 앤이 말했어요. "리즈는 잊지 않은 것 같은데."

랠프가 소리쳤어요. "어, 리즈의 집이네! 리즈의 가방에 들어 있었잖아!" 도로시 앤이 말했어요. "리즈의 집은 정말 특별해."

그러자 랠프가 씨익 웃으며 말했죠. "그야 리즈가 아주 특별한 도마뱀이니까 그렇지!"

글쓴이 **조애너 콜**

《워싱턴 포스트》의 어린이 도서 협회에서 주는 논픽션 상과
어린이 책에 기여한 공로로 주는 데이비드 맥코드 문학상을 받았다.

그린이 **브루스 디건**

30권 이상의 어린이 책에 그림을 그렸다.
대표작으로 『세일어웨이 홈』, 『잼베리』 들이 있다.

옮긴이 **노은정**

연세대학교 영어영문학과를 졸업했다.
어린이 애니메이션 전문 번역가로 활동하고 있다.
옮긴 책으로는 「마법의 시간 여행」 시리즈, 『성공하는 여성들의 심리학』 들이 있다.